2021年趨勢分析和投資建議

陳喬泓
張皓傑

未來五至十年，台股前景樂觀

陳喬泓

轉眼間已經步入第四季，回顧2020年對所有投資人來說，是一段前所未見的體驗，全球股市因為新冠肺炎疫情失控造成經濟停擺而急速崩跌，**加權指數從年初高點12197點崩跌至8523點，大跌超過三成。**

未來三年內，股市仍最有投資價值

就在市場投資人極度恐慌的時刻，全球央行聯手寬鬆，採取大幅降息及財政刺激政策，在資金滿天飛的情況下，使得大量資金活水湧入股票市場。

在超低利率下，所反應的是合理本益比的上調，當錢存銀行利率趨近於零時，如果選擇買進像台積電（2330）這樣長期穩定成長的公司，卻還有接近3%殖利率時，市場就會提高好公司的合理評價，進而推升股價，這就是這一波股市上漲的主因。

因此，在資金行情不斷簇擁下，全球股市都呈現大漲行情，而台股走勢亦看回不回，一路上升至最高來到13031點，波段大漲52.9%，指數更創下歷史新高。

但因為台股只花了半年就上漲超過4500點，短期漲幅過大，加上美股漲多修正、市場憂慮新冠疫情恐二度爆發，再加上年底美國總統大選的不確定性等因素，導致台股出現逢高調節的修正走勢。僅僅七天就跌了接近900點，指數最低

來到12149點。

－加權指數今年以來日線走勢圖－

當投資人看到大盤及股價不斷下跌，很容易自亂陣腳，進而做出錯誤的投資決策。因此，投資人必須要先釐清下跌的理由，才能做出符合邏輯的正確操作方向。

雖然股市近期持續下修，但我認為未來推升指數上漲的動能仍然存在。美國經濟正從衰退中復甦，預料Fed在2023年前都將維持趨近零利率，最新美國10年期公債殖利率為0.657%。因此即便有些資金短期撤離股市，**在沒有其它更具備投資價值的資產可供選擇下，資金最後還是勢必會回流股市。**

短期最大的變數在於十一月美國總統大選，當選舉日期愈靠近時，預料市場的波動將會加劇。因此在大選明朗化之前，市場仍有極高的不確定性，務必先做好投資組合的風險控管。

雖然根據過去的歷史統計，美國總統四年任期的股市報酬，最佳的是第三年，平均19.4%、次佳是第四年，平均10.9%、最差的是第一年、也就是明年，平均僅只有8.1%，

但我對2021年的股市展望並不悲觀，尤其是台股。

各國央行低利，讓股市逐年「高點創高、低點墊高」

現階段加權指數仍在12000點之上，如果單純看指數可能會覺得偏高，但如果你有認真研究指數，會發現這幾年的低點其實不斷墊高，高點也持續在創高，加上每年都會因為除權息而蒸發一部份指數，若還原權值，目前的加權股價報酬指數為24021點（9/28），早已超越1990年的高點12682點，甚至高出近一倍。

從長期走勢來看，股市就是會不斷上漲，雖然有時指數會下跌修正，但經過長期統計，標普500指數有10%年化報酬率、而於加權指數高度連動的台灣五十（0050），長期的年化報酬率也一樣有接近10%的水準。

雖然過去不代表未來，但各國央行預期維持長時間超低利率，對股市而言就是最大的利多，加上5G、物聯網、人工智慧、自駕車等科技持續創新下，將帶動下一波工業革命，**只要企業不斷創新，就會成為推升股市上漲的重要動能。**

回頭看看台股，在台灣防疫有成的情況下，且台股上市櫃公司主要以科技產業為主，加上美中冷戰造成國際情勢的轉變，加速台商返鄉投資、美國務院鼓勵500大企業加碼投資台灣……等利多加持下，我對台股未來的趨勢相對抱持樂觀態度。

雖然台股未來五至十年的確值得期待，但不代表指數會一路向上！當短期累積的漲幅過高時，隨時都有回檔修正的

可能，投資人請務必留意。

未來投資關注建議：科技、內需消費和生技醫材

　　對一般投資人來說，最重要的不是預測大盤走勢，而是選股及作好投資組合的資金配置。而2020年最值得關注的產業類股，我認為首選科技股、內需消費股及生技醫材股。

　　因為疫情擴散造成全球經濟衰退，很多產業都遭遇到巨大的衝擊，因此如何選對好股，可說是投資最重要的事。雖然各國正在全力研發新冠疫苗，且疫苗或許有望在2021上半年問世，但期望大規模生產，至少也必須等到2021年夏季，屆時全世界才有可能恢復過往的正常生活。

　　雖然台灣在防疫表現可圈可點，基本上也還能維持正常生活，但在全球經濟按下暫停鍵的情況下，一樣也無法獨善其身，很多產業都面臨嚴重的衰退。

　　受疫情影響較大的分別為旅行社、航空、原物料，像是雄獅（2731）、鳳凰（5706）、長榮航（2618）⋯⋯等，但考量到疫情無法在短期內消失，選股可能要避開上述產業，雖然危機入市容易有超額利潤，但相對風險同樣也不低。

　　建議投資人可以從不受疫情所影響的產業中選擇潛力股，包括**電商、網通、IC設計、伺服器、5G、遊戲器、貨運、半導體、生技醫材、民生消費**等，做為選股的主要目標。

　　舉例來說，像是全球最大的半導體製造大廠台積電（2330），就是幾乎不受疫情所影響的公司之一。今年受到疫情干擾，很多企業的營運都受到一定程度的影響，但台積

電今年前八月累計營收達8,501億元，較去年同期成長30.67%，上半年累計每股盈餘達9.17元，年增高達85.6%。

－台積電今年以來營收大幅成長－

台積電(2330)合併年度營收走勢圖

台積電(2330)合併月營收

年/月	營業收入	月增率	去年同期	年增率	累計營收	年增率
2020/08	122,879,244	15.96%	106,117,619	15.79%	850,137,282	30.67%
2020/07	105,963,468	-12.34%	84,757,724	25.02%	727,259,038	33.57%
2020/06	120,877,795	28.84%	85,867,929	40.77%	621,295,550	35.15%
2020/05	93,819,010	-3.27%	80,436,931	16.64%	500,417,765	33.86%
2020/04	96,001,572	15.43%	74,693,613	28.53%	406,598,755	38.58%
2020/03	113,520,599	21.55%	79,721,307	42.40%	310,597,183	42.02%
2020/02	93,394,449	-9.92%	60,899,055	53.36%	197,077,584	41.80%
2020/01	103,683,135	0.36%	78,093,827	32.77%	103,683,135	32.77%

除了產業競爭力，還要注意這幾點！

我看好台積電的理由其實很簡單，**不管疫情如何發展，科技都將帶領人類持續向前**，包括5G、AI、物聯網、智能汽車、機器人等產業，無一不需要半導體的高端晶片，而台積電正是全球晶圓製造龍頭，絕大部分晶片設計公司都與台積電有緊密的合作關係，都需要仰賴它的先進製程技術。除非科技不再持續往前，否則全球囊括高達56%以上市占率的台積電，未來營運沒有理由看淡。

2020年初台積電股價站上340元，雖然看好公司的產業競爭力，卻苦無進場機會，但因為新冠疫情失控造成股市重挫，台積電也從歷史高點346元一路下修至235.5元，我在股價接近300元時逢低買進，最低買在241元，再一次把台積電納入投資組合中。

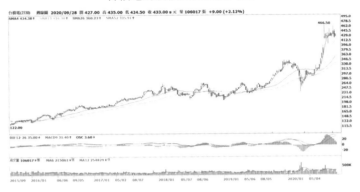

－台積電的股價長期趨勢向上－

　　雖然當時我認為疫情有可能會拖累台積電短期的營運表現，不過因為看好5G、雲端及AIoT等產業長期趨勢向上，而身為全球最大的晶圓製造商台積電正站在浪頭上，加上擁有**技術領先、製造優越和客戶信任**等三大競爭優勢，在先進製程幾乎拿下所有可能下單的客戶。

　　除此之外，**公司的負債比僅28%，利息保障倍數高達121倍，近幾年的自由現金流均為正數，顯示本業獲利良好**，即便遭遇短暫市場逆風，在公司具備良好的防禦能力下，受影響的程度將遠小於其它公司。

　　董事長劉德音預估2020年台積電的營收將可望成長超過兩成以上，研調機構IC Insights估計晶圓代工市場在2020~2024年都將維持成長，預估年均複合成長率（CAGR）約為9.8%，通常台積電的年均複合成長會優於市場平均水準，因此我們合理預估台積電2021~2024年的合併營收年複合成長有機會達10%以上。根據上述資料進行評估，我認為長期持有台積電創造打敗大盤的投資績效，應該是值得投資人期待。

除了台積電外，專業連接線束大廠信邦（2330），營運成長動能相當穩健。信邦早期代理連接線器代工買賣，2006年進行內部轉型，從電子零組件代理商轉為全方位電子產品研發整合製造廠，深耕Imagic產業，成功跨足醫療（MEDLCAL）、汽車（AUTO）、綠能（GREEN）、工業（INDUSTRIAL）、及通訊（COMMUNICATION）等產業，更結合物聯網（Internet of things）的需求提供自動化倉儲系統、機器人、以及智慧電網系統等電子零組件產品開發。

一信邦2015至2020年週線走勢圖一

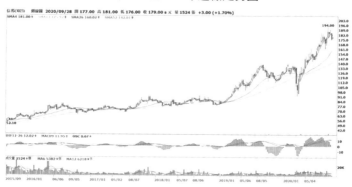

　　從財報資料觀察，可以很清楚看出信邦是一家在穩健中追求成長的企業，過去20年從未有一年面臨虧損，獲利更是從2008年次貸風暴後已連續12年成長，2021年在電動自行車產能持續提升，且有望增加新客戶、車用產品隨疫情逐漸趨緩回升、工業及醫療需求穩定成長。

　　法人機構預估信邦2021年獲利可望再創新高，每股盈餘將首次挑戰一個股本。我是在2015年以62元開始買進信邦，算一算持有信邦的時間也已經五年了，在公司獲利連續十一

年成長，加上現金股利連續八年增長的情況下，我很樂意繼續持有。

－信邦現金股利逐年成長－

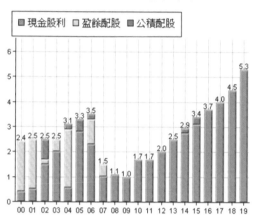

科技股為主，績優內需消費股為輔

對於主動選股投資人，建構一個攻守兼備的投資組合是2021年最主要的任務。以產業來說，首選科技股，具備一流產業競爭力的科技公司仍是最佳選擇，像是台積電（2330）、信邦（3023）、IC設計大廠聯發科（2454）或者是筆電觸控模組大廠義隆（2458）…等，都具備優異的成長性。

以科持股為主軸，並搭配一些績優的內需消費，像是櫻花（9911）、崇友（4506）、佳格（1227）、全家（5903）、全國電（6281）……等。把持股分散至五至十檔不同產業的股票，降低過度集中單一產業的分險。較積極的投資人可以提高科技股的比例，較保守的投資人則可以考慮

提高內需消費股的比例。

　　2021年全球經濟可望從谷底反彈，但在新冠疫情及美中貿易戰情勢仍險峻的情況下，投資人還是需要小心謹慎。不過對基本面投資人來說，重點還是在選對好股，不要被市場過多的雜訊影響你的判斷能力，堅定自身的投資信念，2021年仍然大有可為！

※本篇分析為個人意見，僅供參考，各位讀者在投資前請仔細評估各家公司的狀況。

2021年台股投資趨勢解析
後疫情時代的投資新思維

張皓傑

2020年新冠肺炎重創全球經濟

　　2020年是人類史上非常重大的一年，影響全球最大的事件莫過於新冠肺炎爆發，截至10/18，全球超過4000萬人數感染新冠肺炎，並造成超過103萬人死亡。疫情讓各國的國門紛紛關閉，最直接受到衝擊的產業有旅遊娛樂業、航空運輸業、石油業。再加上居家隔離措施，使得許多實體店面出現倒閉潮，進而連帶影響了製造業，全球失業率暴增，經濟活動失序。

　　2020年3月，各國股市面對這個突如起來的黑天鵝事件，出現了前所未見的跳水式下跌。美股更罕見的觸發史上第二次熔斷，並在接下來半個月又經歷了第三次熔斷，歷史上從未出現這種狀況。**各國為了解決經濟問題，實行各種紓困措施，全球大印鈔票，進入低利率時代，造成通貨膨脹，實質購買力下降**，造成了把錢放在銀行裡面將越存越少的結果。在這種情況下，投資人勢必要把錢做更有效的投資，才不會讓資產縮水。

　　一場新冠肺炎，徹底改變了人類的生活方式，以往需要實體店面購物，轉變為在家線上網購、訂餐，宅經濟當道。以往會上電影院看電影，轉變為透過線上影音串流服務取代。而以往需到公司辦公，現在透過網路視訊可以居家辦公，更減少了大眾交通的運輸量，節省的通勤時間則可增加

生產力，為企業減少成本。另一方面，帶來的好消息則是，全球減少面對面的經濟活動，對能源需求降低，排碳量隨之減少，空氣污染明顯改善，並開始重視綠色能源例如太陽能、風力發電等。

截至2020/10/19，疫情仍看不見終點，全球更籠罩在二次爆發的恐慌當中，很有可能我們要跟新冠病毒長期共存與抗戰。各國也傾全力投入疫苗的開發，**相關生技醫療類股也是今年投資人的投資重點。**

由於遠距辦公、遠距教學成未來趨勢，以往家裡只需要一台電腦大家共用，而現在是家裡的每一位成員都需具備，因此對於電腦、筆電相關的需求也隨之提高，再加上今年全球發展5G通訊，手機設備、平板電腦也跟著汰舊換新，像是Apple才剛發表第一台5G手機iPhone12。**在3C設備需求持續高漲下，對於台灣為電子零組件出口大國來說，絕對是一個大利多。**

而眾多3C產品中最關鍵的核心就屬半導體晶圓，**目前全球半導體龍頭－台積電才剛在八月份市值突破4100億元，擠進全球前十大市值公司。**台積電今年的好表現市場投資人有目共睹，也帶動台灣股市突破13000點創歷史新高。對於後疫情時代，台灣在科技領域上的優勢正可逐漸擴大發酵，投資人千萬不能缺席這個饗宴，台股將會有機會再續創新高。

2021年投資趨勢，注意這三點

投資人在面對2021年也必須超前部署，提前做資產配置的規劃。

一、仍需隨時留意升息消息

2020年三月股災以後，隨著疫情穩定再加上實行各種紓困措施，各國股市幾乎不只漲回起跌點還繼續創新高，並持續在高點震盪居高不下，**就是因為低息環境下大家被逼迫著將銀行的錢拿出來投資，可以發現股市要下跌並不易。**

2020年八月聯準會主席鮑爾說：將採取「平均通膨目標2%」架構，也就是說市場發生些微通膨是可接受的，也不會一滿足通膨2%就立刻升息，是會有彈性的，市場上的解讀就是「目前不會輕易升息」。

儘管如此，若是有任何升息消息的風吹草動，還是會讓市場驚慌。隨著升息以後，市場資金將會回流銀行，股票市場恐怕會有一波下修，投資人不可不慎。2021年的趨勢若市場仍在低息環境下，市場資金氾濫的情況下，仍然會高檔震盪並持續走高。

二、疫苗開發成功，疫情將有機會露出曙光，旅遊娛樂產業蓄勢待發

2021年的另一個觀察重點，則是新冠肺炎的疫苗是否研**發成功**，是否可量產施打及無不良副作用，只要全球1/4的人有機會接種疫苗產生抗體，病毒即可獲得有效控制，阻絕傳染。**等到國與國之間的交流正式開放以後，屆時旅遊娛樂博弈航空相關產業將有機會報復性回溫**，因此若投資人能提前佈局，耐心等待，這方面產業隱藏的獲利最可觀。不過提前佈局仍要注意風險，若投資的公司在疫情還沒結束前就撐不住倒下，投資人投注的錢將有可能血本無歸。

三、產業趨勢朝向軟體服務SaaS並重視網路資安

　　原本我們就正處於物聯網世代，更由於疫情的關係，加重我們對於3C產品的依賴。而科技產品的發展到目前，硬體的發展已經到達摩爾定律的邊緣，**也就是說硬體發展有其侷限，未來趨勢則會逐漸轉向為軟體服務優先**，近年SaaS這個名詞開始出現，意思是軟體即服務（英語：Software as a Service），例如Google提供gmail、雲端硬碟等服務，或像是蘋果今年推出Apple One包套訂閱服務，主打Apple Music、Apple TV+、Apple News+、iCloud等軟體服務，為了就是讓他們用既有硬體的市佔優勢，繼續延續到軟體服務，透過軟硬體整合打造一個蘋果生態系，藉此提高客戶黏著率。

　　未來產業趨勢將回朝向軟體的研發，其中一個發展重點則是AI人工智慧，例如像今年股價正式超越豐田，奪下全球市值最大車廠寶座第一的特斯拉Tesla，雖然皮是汽車廠，但骨子裡的強項則是自動駕駛技術及能源儲存，未來人類駕駛汽車能否擺脫方向盤，關鍵就需仰賴AI人工智慧的發展。

　　既然軟體的發展與日俱增，那麼就不得不提到網路資安的重要，網路資安不僅是對個人用戶非常重要，而對大企業或是各國政府來說更要小心防範。2019年7月美國「第一資本」銀行（Capital One），1億用戶資料外洩，此案是史上最大規模的金融資安事件之一，估計讓該公司損失至少1億5000萬美元。又或者像是2020年5月蔡英文總統就職前夕，總統府驚傳電腦遭駭客入侵。部分媒體接連收到匿名信件，其中包含總統蔡英文與行政院院長蘇貞昌密會資訊，以及各部會人事變動等內容，這事件已經是國家安全等級的資安問題。

全面性的資安需求，也是一塊值得我們股票投資人關注的投資機會。

投資規劃方向，建議以指數型ETF為核心

我認為決定大家資產每年成長多寡的關鍵，還是在於投資人如何做資產配置，聰明的投資人懂得將資金有效分配到各個不同類型的資產上，除了可以有效分散風險以外，還有機會抓到有潛力的投資機會，增加整體資產報酬。

對於投資人如何做資產配置，簡單來說，**我會建議投資人以大盤指數型ETF做為核心配置，以個股作為衛星配置。**會這麼建議主要還是因為個股投資對於散戶來說，仍是風險較高且不容易做得好的一件事，在與大型投資法人相較之下，散戶仍處於資訊不對等的情況，**若沒有相當有把握，對個股公司有足夠的了解，往往容易淪為投機而非投資。**

在ETF投資部位，仍以股債配置為主，透過目前台股市場上所發行的ETF組成一個全球化投資組合，海外市場建議以美國市場為主，新興市場風險仍較高不確定性因素多，對於風險承受度較低的人來說還是盡量避開。

股票ETF部位，目前許多證券商都有提供低手續費定期定額服務，建議投資人可善加利用，一來是可養成每月固定儲蓄的好習慣，二來則是能避免投資人猜高猜低不敢進場的投資心理，長期來說人類的發展進步潛力是無上限的，若投資年限有超過20年以上，應把目標放在更長遠的成長，而非執著在短線的高低震盪。

債券ETF部位，則建議以美國長天期公債為主，在我過

去幾次的股災觀察當中，在股票發生大跌的時候，美國長天期公債有高機率會反向上漲，因此能有效保護資產降低虧損。而高收益債或是投資等級債，面對股災時則還是大多與股票同步下跌，對資產的保護有限，這部位的配置則不宜過高。

在個股方面，我會建議以優質獲利穩定的中小型股票為主，主要原因是在投資大盤指數型ETF時已經幾乎涵蓋到所有大型股，因此再針對大型股投入對於整體資產的幫助不大。選擇中小型股的好處是，投資潛力無窮，獲利空間較大，若挑到金雞母，未來將有機會成長到大型股。唯特別要注意的是，**需選擇至少過去三年獲利穩定，以及股利發放穩定的公司**，降低遇到地雷股的機率。依此為前提下，根據產業類型挑有未來性成長性的公司，簡單來說，就是先求穩再求好（成長）。另外，個股投資回報要好，研讀公司財報的能力則相當重要，**好的財報雖不是獲利的保證，卻可以讓你有效趨吉避凶。**

因篇幅有限，盡力闡述下若有不足之處，歡迎搜尋「HC愛筆記財經」關注我的Facebook粉絲團，會不定時發布我最新的投資看法，以及分享我所撰寫的投資理財文章，謝謝！